Pizza y Focaccia

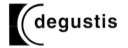

ACADEMIA BARILLA
EMBAJADORA DE LA GASTRONOMÍA ITALIANA EN TODO EL MUNDO

La Academia Barilla es un movimiento global para la protección, desarrollo y promoción de la auténtica cultura y cocina regional italiana.

Con el concepto de Comida como Cultura como base, la Academia Barilla ofrece una visión de 360° de Italia. Su enfoque comprensivo incluye:

- un centro culinario de vanguardia en Parma, Italia;
- programas de viaje gourmet y clases de cocina prácticas;
- la biblioteca gastronómica y colección de menús históricos más grande del mundo;
- un portafolio de productos alimenticios artesanales premium;
- programas de certificación culinaria global;
- servicios corporativos y entrenamiento a la medida;
- actividades para formación de equipos;
- y una vasta variedad de libros de cocina italiana.

¡Gracias y esperamos poder darle la bienvenida en Italia pronto!

CONTENIDO

EDICIÓN

ACADEMIA BARILLA

FOTOGRAFÍA

ALBERTO ROSSI

RECETAS

CHEF MARIO GRAZIA

CHEF LUCA ZANGA

TEXTO

MARIAGRAZIA VILLA

COORDINACIÓN EDITORIAL DE LA ACADEMIA BARILLA

CHATO MORANDI

ILARIA ROSSI

REBECCA PICKRELL

DISEÑO GRÁFICO

PAOLA PIACCO

TRADUCCIÓN

CONCEPCIÓN ORVAÑANOS DE JOURDAIN

LAURA CORDERA DE LASCURAIN

En su conjunto, la pizza debe ser suave, elástica y fácil de doblar a la mitad para formar un "libretto". [...] Suave al tacto y al gusto...

Proyecto de ley por medio del cual se establecen normas para proteger la *auténtica pizza napolitana, 2004*

PIZZA

La pizza es una invención extremadamente sencilla pero inteligente, colorida y agradable. También es aromática, seductora y sabrosa. Hace tan solo un siglo la pizza era una especialidad que únicamente se podía comer en Nápoles. Actualmente es la especialidad gastronómica más famosa de Italia, la cual se disfruta en todo el mundo.

Este libro reúne 40 recetas tradicionales de Italia para preparar pizza y focaccia, elegidas cuidadosamente por La Academia Barilla, un centro internacional dedicado a la promoción de la gastronomía italiana. Algunas pizzas como la Margarita o la Marinara son verdaderas insignias de la cocina de la península. Otras muestran grandes productos italianos: sabroso jamón de Parma; queso azul y provolone siciliano; jitomates Pachino y hongos porcini.

El nombre "pizza" en realidad está precedido por siglos de pizza de jitomate igual a la que conocemos en la actualidad. La palabra evolucionó del trabajo de un *pistor*, palabra latina que significa pastelero. Aunque el jitomate llegó a Nápoles a fines del siglo XVI, no fue parte de su cocina hasta el siglo XVIII cuando la pizza se hizo popular sin tener ninguna clase de límites. Se dice que en 1762, el rey Borbón Ferdinando IV visitó una pizzería napolitana para probar este sencillo alimento y quedó tan impresionado que la describió como un delicioso platillo. La pizza *alla marinara* o pizza de mariscos, tiene una cubierta que sólo lleva jitomates, aceite, ajo y orégano, ingredientes que se podían tener frescos a bordo de un barco sin deteriorarse.

Sin embargo, el origen de la pizza más famosa del mundo, la *pizza Margarita*, se conoce con certeza. En junio de 1889, el rey Humberto I y la reina Margarita disfrutaron de sus vacaciones de verano en el palacio real de Capodimonte. Cansados de la usual cocina sofisticada, decidieron probar el platillo popular hecho a base de pan. Llamaron al *pizzaiolo* napolitano o cocinero de pizza más famoso, Raffaele Esposito, quien, junto con su esposa, preparó tres pizzas: Una tradicional con manteca de cerdo, queso y albahaca; otra, cubierta con ajo, aceite y jitomate; y una tercera, creada especialmente para esa ocasión con jitomate, queso mozzarella y albahaca para representar los colores de la bandera italiana. Ésta gustó tanto a la reina que don Raffaele la llamó pizza Margarita en su honor.

La pizza puede ser gruesa o delgada, crujiente o suave, frugal o sustanciosa. La auténtica pizza napolitana tiene una masa esponjosa y orillas ligeramente más gruesas para evitar que la cubierta se resbale. Pero las cubiertas deben ser a base de ingredientes genuinos: aceitunas frescas, sabrosas anchoas, suculento queso provola y dulces jitomates cereza San Marzano. Se cocina mejor en un horno de leña y saben mejor recién salidas de él y dobladas a mano en cuartos.

PISSALADIERA

Tiempo de preparación: 20 minutos
Tiempo de levado: de 1 hora 10 minutos a 4 horas
Tiempo de cocción: 30 minutos　　　*Grado de dificultad: medio*

4 PORCIONES

PARA LA MASA
5 tazas (650 g) de **harina de trigo simple**
o **harina italiana "00"**, más la necesaria
5 g (1/2 oz) de **levadura seca**
instantánea
1 1/2 taza (350 ml) **agua** tibia
2 1/2 cucharaditas (15 g) de **sal**

PARA LA CUBIERTA
300 g (11 oz) de **cebollas**, finamente
rebanadas

2 cucharadas (30 ml) de **aceite de oliva**
extra virgen
10 **filetes de anchoa** en sal
2 tazas (500 g) de **jitomates** molidos
1 manojo pequeño de **albahaca**
100 g (3 1/2 oz) de **aceitunas taggiasca**
u otras **aceitunas negras** pequeñas
Orégano fresco picado
Sal
4 dientes de **ajo**, finamente picados

Coloque la harina sobre una superficie de trabajo limpia y haga una fuente en el centro.
Disuelva la levadura en el agua. Vierta la mezcla de levadura en la fuente, empiece
gradualmente a incorporarla con la harina hasta que se empiece a formar una masa y
agregue la sal. Amase hasta obtener una masa tersa y elástica.
Cubra la masa con una toalla de cocina y deje levar en un lugar caliente hasta que haya
duplicado su volumen (esto puede tardar de 1 a 4 horas, dependiendo
de la temperatura).
Extienda la masa sobre una charola para pizza o charola para hornear previamente
engrasada con aceite y deje levar una vez más alrededor de 10 minutos.
Saltee las cebollas y los dientes de ajo con el aceite de oliva en una sartén sobre fuego
bajo. Agregue los filetes de anchoa y jitomates molidos. Cocine de 5 a 10 minutos y
agregue la albahaca.
O, si lo desea, puede agregar la albahaca cuando retire la pizza del horno.
Deje enfriar la salsa y extiéndala sobre la masa, decore con aceitunas y espolvoree
con orégano y sal.
Hornee a 190°C (375°F) durante 30 minutos o hasta que se dore.

PIZZA DE ALCACHOFA

Tiempo de preparación: 15 minutos
Tiempo de levado: de 1 1/2 hora a 6 horas
Tiempo de cocción: 20 minutos   Grado de dificultad: medio

4 PORCIONES

PARA LA MASA
4 tazas (500 g) de **harina de trigo simple**
o **harina italiana "00"**, más la necesaria
1 1/2 cucharadita (4 g) de **levadura seca**
instantánea para 2 horas de tiempo de
levado o 3/4 cucharadita (2 g) para 6
horas de tiempo de levado
1/2 taza (350 ml) de **agua** tibia
1 1/2 cucharada (20 ml) de **aceite de**

oliva extra virgen
2 cucharaditas (12 g) de **sal**

PARA LA CUBIERTA
1 lata de 450 ml (16 oz) de **jitomates** sin
piel, machacados a mano
400 g (14 oz) de **queso mozzarella**
fresco, rebanado
15 **corazones de alcachofa** en aceite

Coloque la harina sobre una superficie de trabajo limpia y haga una fuente en el centro. Disuelva la levadura en el agua y vierta la mezcla de levadura en la fuente. Empiece a incorporar gradualmente la mezcla de levadura con la harina hasta que se empiece a formar una masa; agregue el aceite y la sal. Amase hasta obtener una masa tersa y elástica. Frote la masa con un poco de aceite, tape con plástico adherente y deje reposar alrededor de 10 minutos.

Engrase con aceite una charola para pizza de 30 cm (12 in). Pase la masa a la charola y, usando las yemas de sus dedos, extienda la masa para cubrir la base de la misma. Si usted utilizó 1 1/2 cucharadita de levadura, deje levar la masa alrededor de 40 minutos. Si usted usó 3/4 cucharadita, cubra la masa con una hoja de plástico adherente previamente engrasada con aceite y refrigere por lo menos durante 5 horas. La masa se levará bien en el refrigerador y se hará ligera y aromática. Cuando la masa haya levado, extienda los jitomates sobre la superficie y acomode sobre la superficie el queso mozzarella y los corazones de alcachofa (todos a temperatura ambiente). Deje levar la masa por otros 40 minutos. Hornee a 220°C (425°F) durante 20 minutos o hasta que la corteza se dore.

PIZZA CON PIMIENTOS

Tiempo de preparación: 30 minutos
Tiempo de levado: de 1 1/2 hora a 5 1/2 horas
Tiempo de cocción: 8 minutos   Grado de dificultad: fácil

4 PORCIONES

PARA LA MASA

5 tazas (650 g) de **harina de trigo simple**
o **harina italiana "00"**, más la necesaria
3/4 cucharadita (2 g) de **levadura seca instantánea**
1 1/2 taza más 1 cucharadita (375 ml) de **agua** tibia
1 cucharada (18 g) de **sal**

PARA LA CUBIERTA

600 g (1 1/3 lb) de **pimientos verdes, rojos o amarillos**
600 g (1 1/3 lb) de **jitomates** molidos
Sal
Aceite de oliva extra virgen
500 g (1 lb) de **queso mozzarella** fresco, desmenuzado
1/2 manojo de **hojas de albahaca** fresca, picadas

Coloque la harina sobre una superficie de trabajo limpia y haga una fuente en el centro. Disuelva la levadura en el agua e incorpore gradualmente con la harina hasta obtener una masa suelta; agregue la sal. Amase hasta obtener una masa tersa. Cubra con plástico ligeramente engrasado con aceite; deje levar hasta que haya duplicado su volumen (de 1 a 4 horas, dependiendo de la temperatura).

Divida la masa en cuatro porciones, ruédelas para formar bolas y deje levar una vez más, hasta que hayan duplicado su tamaño (de 30 minutos a 1 hora, dependiendo de la temperatura).

Ase los pimientos a 200°C (390°F) de 15 a 20 minutos, hasta que se ennegrezcan y suavicen. Pase a un tazón, tape con plástico adherente y deje enfriar. Retire la piel, corazón y semillas de los pimientos y corte longitudinalmente en cuartos. Sazone los jitomates con sal y un chorrito de aceite de oliva.

Aplane cada bola de masa sobre una superficie enharinada, empezando con las yemas de sus dedos y continuando con un movimiento giratorio de sus manos a medida que la masa se aplana más y se hace más ancha, formando un círculo de aproximadamente 20 cm (8 in) de diámetro.

Coloque los círculos de masa sobre una charola para hornear. Unte cada uno con jitomate molido, queso mozzarella y pimientos. Hornee a 250°C (480°F) durante 8 minutos o hasta que el queso burbujee y la corteza se dore. Decore con albahaca.

PIZZA CUATRO ESTACIONES

Tiempo de preparación: 15 minutos   *Tiempo de levado: de 1 1/2 a 6 horas*
Tiempo de cocción: 20 minutos   *Grado de dificultad: medio*

4 PORCIONES

PARA LA MASA
4 tazas (500 g) de **harina de trigo simple**
o **harina italiana "00"**, más la necesaria
1 1/2 cucharadita (4 g) de **levadura seca**
instantánea para 2 horas de tiempo de
levado o 3/4 cucharadita (2 g) para 6
horas de tiempo de levado
1 1/2 taza (350 ml) de **agua** tibia
1 1/2 cucharada (20 ml) de **aceite de**
oliva extra virgen
2 cucharaditas (12 g) de **sal**

PARA LA CUBIERTA
1 lata de 450 ml (16 oz) de **jitomates**
machacados a mano
400 g (14 oz) de **queso mozzarella**
fresco, desmenuzado
10 **corazones de alcachofa** en aceite
6 **champiñones**, rebanados
10 **aceitunas verdes**, sin hueso
6 rebanadas de **jamón**

Coloque la harina sobre una superficie de trabajo limpia y haga una fuente en el centro.
Disuelva la levadura en el agua. Incorpore gradualmente la mezcla de levadura con la
harina hasta obtener una masa suelta y agregue el aceite y la sal. Amase hasta obtener
una masa tersa y elástica. Frote la masa con un poco de aceite, tape con plástico
adherente y deje reposar alrededor de 10 minutos. Engrase con aceite una charola para
pizza de 30 cm (12 in). Usando las yemas de sus dedos, extienda la masa
para cubrir la base de la misma.
Si usted utilizó 1 1/2 cucharadita de levadura, deje levar la masa alrededor de 40 minutos.
Si usted usó 3/4 cucharadita, cubra la masa con una hoja de plástico adherente
previamente engrasada con aceite y refrigere por lo menos durante 5 horas. La masa se
levará perfectamente en el refrigerador, haciéndose ligera y aromática. Cuando la masa
haya levado, extienda sobre la superficie los jitomates y el queso mozzarella, corazones
de alcachofa, champiñones rebanados y aceitunas (a temperatura ambiente). Deje levar la
masa durante 40 minutos. Hornee a 220°C (425°F) durante 18 minutos. Agregue el jamón
(a temperatura ambiente) y hornee durante 2 ó 3 minutos más o hasta que
el queso burbujee y la corteza se dore.

PIZZA A LOS CUATRO QUESOS

Tiempo de preparación: 15 minutos   Tiempo de levado: de 1 1/2 a 6 horas
Tiempo de cocción: 20 minutos   Grado de dificultad: medio

4 PORCIONES

PARA LA MASA

4 tazas (500 g) de **harina de trigo simple**
o **harina italiana "00"**, más la necesaria
1 1/2 cucharadita (4 g) de **levadura seca
instantánea** para 2 horas de tiempo de
levado o 3/4 cucharadita (2 g) para 6
horas de tiempo de levado
1 1/2 taza (350 ml) de **agua** tibia
1 1/2 cucharada (20 ml) de **aceite de
oliva extra virgen**
2 cucharaditas (12 g) de **sal**

PARA LA CUBIERTA

1 lata de 450 ml (16 oz) de **jitomates**,
machacados a mano
100 g (3 1/2 oz) de **queso Gorgonzola**,
desmoronado
100 g (3 1/2 oz) de **queso Fontina**,
desmenuzado
100 g (3 1/2 oz) de **queso Brie**, partido
en cubos
100 g (3 1/2 oz) de **queso Scamorza**
ahumado o **queso mozzarella**,
desmenuzado

Coloque la harina sobre una superficie de trabajo limpia y haga una fuente en el centro.
Disuelva la levadura en el agua y vierta la mezcla de levadura en la fuente. Empiece a
incorporar gradualmente la mezcla de levadura con la harina hasta que se empiece a
formar una masa y agregue el aceite y la sal. Amase hasta obtener una masa tersa y
elástica. Frote la masa con un poco de aceite, tape con plástico adherente y deje reposar
alrededor de 10 minutos.

Engrase con aceite una charola para pizza de 30 cm (12 in). Pase la masa a la charola y,
usando las yemas de sus dedos, extienda la masa para cubrir la base de la misma.
Si usted utilizó 1 1/2 cucharadita de levadura, deje levar la masa alrededor de 40 minutos.
Si usted utilizó 3/4 cucharadita, tape la masa con una hoja de plástico adherente
ligeramente engrasada con aceite y refrigere por lo menos durante 5 horas. La masa se
levará bien en el refrigerador, haciéndose ligera y aromática.
Cuando la masa haya levado, cubra con los jitomates. Espolvoree con los quesos. Deje la
masa levar durante 40 minutos más y hornee a 220°C (425°F) durante 20 minutos o hasta
que el queso burbujee y la corteza se dore.

PIZZA DE QUESO GORGONZOLA

Tiempo de preparación: 15 minutos   Tiempo de levado: de 1 1/2 a 6 horas
Tiempo de cocción: 20 minutos   Grado de dificultad: medio

4 PORCIONES

PARA LA MASA
4 tazas (500 g) de **harina de trigo simple**
o **harina italiana "00"**, *más la necesaria*
1 1/2 cucharadita (4 g) de **levadura seca**
instantánea *para 2 horas de tiempo de*
levado o 3/4 cucharadita (2 g) para 6
horas de tiempo de levado
1 1/2 taza (350 ml) de **agua**
1 1/2 cucharada (20 ml) de **aceite de**
oliva extra virgen

2 cucharaditas (12 g) de **sal**

PARA LA CUBIERTA
1 lata de 450 ml (16 oz) de **jitomates** *sin*
piel, machacados a mano
150 g (4 1/4 oz) de **queso Gorgonzola**,
partido en cubos
20 **nueces de castilla**, *picadas*

Coloque la harina sobre una superficie de trabajo limpia y haga una fuente en el centro.
Disuelva la levadura en el agua y vierta la mezcla de levadura en la fuente. Empiece a
incorporar gradualmente la mezcla de levadura con la harina hasta que se empiece a
formar una masa y agregue el aceite y la sal. Amase hasta obtener una masa tersa y
elástica. Frote la masa con un poco de aceite, tape con plástico adherente y deje reposar
alrededor de 10 minutos.
Engrase con aceite una charola para pizza de 30 cm (12 in). Pase la masa a la charola y,
usando las yemas de sus dedos, extienda la masa para cubrir la base de la misma.
Si usted utilizó 1 1/2 cucharadita de levadura, deje levar la masa alrededor de 40 minutos.
Si usted utilizó 3/4 cucharadita, tape la masa con una hoja de plástico adherente
ligeramente engrasada con aceite y refrigere por lo menos durante 5 horas. La masa se
levará perfectamente en el refrigerador, haciéndose ligera y aromática.
Cuando la masa haya levado, cubra con jitomates y acomode el queso Gorgonzola (a
temperatura ambiente) sobre la superficie. Deje la pizza levar durante 40 minutos más.
Hornee a 220°C (425°F) durante 20 minutos o hasta que el queso burbujee
y la corteza se dore.
Disperse las nueces de castilla sobre la superficie.

PIZZA CON CHAMPIÑONES
Y JAMÓN

Tiempo de preparación: 15 minutos   Tiempo de levado: de 1 1/2 a 6 horas
Tiempo de cocción: 15 minutos   Grado de dificultad: medio

4 PORCIONES

PARA LA MASA
4 tazas (500 g) de **harina de trigo simple**
o **harina italiana "00"**, *más la necesaria*
1 1/2 cucharadita (4 g) de **levadura seca**
instantánea para 2 horas de tiempo de
levado o 3/4 cucharadita (2 g) para 6
horas de tiempo de levado
1 1/2 taza (350 ml) de **agua** *tibia*
1 1/2 cucharada (20 ml) de **aceite de**
oliva extra virgen

2 cucharaditas (12 g) de **sal**

PARA LA CUBIERTA
1 lata de 450 ml (16 oz) de **jitomates** *sin*
piel, machacados a mano
400 g (14 oz) de **queso mozzarella**,
finamente rebanado
10 **champiñones**, *rebanados o*
aproximadamente 230 g (8 oz)
7 *rebanadas delgadas de* **jamón**

Coloque la harina sobre una superficie de trabajo limpia y haga una fuente en el centro. Disuelva la levadura en el agua y vierta la mezcla de levadura en la fuente. Empiece a incorporar gradualmente la mezcla de levadura con la harina hasta que se empiece a formar una masa, y agregue el aceite y la sal. Amase hasta obtener una masa tersa y elástica. Frote la masa con un poco de aceite, tape con plástico adherente y deje reposar alrededor de 10 minutos.

Engrase con aceite una charola para pizza de 30 cm (12 in). Pase la masa a la charola y, usando las yemas de sus dedos, extienda la masa para cubrir la base de la misma. Si usted utilizó 1 1/2 cucharadita de levadura, deje levar la masa alrededor de 40 minutos. Si usted usó 3/4 cucharadita de levadura, cubra la masa con plástico adherente ligeramente engrasada con aceite y refrigere por lo menos durante 5 horas. La masa se levará bien en el refrigerador, haciéndose ligera y aromática.

Cuando la masa haya levado, cubra la superficie con jitomates, queso mozzarella y champiñones (todo a temperatura ambiente). Deje la pizza levar durante 40 minutos más. Hornee a 220°C (425°F) durante 18 minutos. Agregue el jamón y hornee durante 2 minutos más o hasta que el queso burbujee y la corteza se dore.

PIZZA DE PEPPERONI

Tiempo de preparación: 15 minutos   Tiempo de levado: de 1 1/2 a 6 horas
Tiempo de cocción: 20 minutos   Grado de dificultad: medio

4 PORCIONES

PARA LA MASA
4 tazas (500 g) de **harina de trigo simple**
o **harina italiana "00"**, *más la necesaria*
1 1/2 cucharadita (4 g) de **levadura seca
instantánea** para 2 horas de tiempo de
levado o 3/4 cucharadita (2 g) para 6
horas de tiempo de levado
1 1/2 taza (350 ml) de **agua** tibia
1 1/2 cucharada (20 ml) de **aceite de
oliva extra virgen**

2 cucharaditas (12 g) de **sal**

PARA LA CUBIERTA
1 lata de 450 ml (16 oz) de **jitomates** sin
piel, machacados a mano
400 g (14 oz) de **queso mozzarella**,
finamente rebanado
20 rebanadas de **pepperoni
condimentado**

Coloque la harina sobre una superficie de trabajo limpia y haga una fuente en el centro.
Disuelva la levadura en el agua y vierta la mezcla de levadura en la fuente. Empiece a
incorporar gradualmente la mezcla de levadura con la harina hasta que se empiece a
formar una masa y agregue el aceite y la sal. Amase hasta obtener una masa tersa y
elástica. Frote la masa con un poco de aceite, tape con plástico adherente y deje reposar
alrededor de 10 minutos.

Engrase con aceite una charola para pizza de 30 cm (12 in). Pase la masa a la charola y,
usando las yemas de sus dedos, extienda la masa para cubrir la base de la misma.
Si usted utilizó 1 1/2 cucharadita de levadura, deje levar la masa alrededor de 40 minutos.
Si usted utilizó 3/4 cucharadita, tape la masa con una hoja de plástico adherente
ligeramente engrasada con aceite y refrigere por lo menos durante 5 horas. La masa se
levará perfectamente en el refrigerador, haciéndose ligera y aromática.
Cuando la masa haya levado, extienda los jitomates sobre ella y acomode el queso
mozzarella y el pepperoni (todos a temperatura ambiente) sobre la superficie.
Deje la pizza levar durante 40 minutos más. Hornee a 220°C (425°F) durante 20 minutos o
hasta que el queso burbujee y la corteza se dore.

PIZZA MARINARA

Tiempo de preparación: 15 minutos   Tiempo de levado: de 1 1/2 a 6 horas
Tiempo de cocción: 20 minutos   Grado de dificultad: medio

4 PORCIONES

PARA LA MASA
4 tazas (500 g) de **harina de trigo simple**
o **harina italiana "00"**, *más la necesaria*
1 1/2 cucharadita (4 g) de **levadura seca
instantánea** *para 2 horas de tiempo de
levado o 3/4 cucharadita (2 g) para 6
horas de tiempo de levado*
1 1/2 taza (350 ml) de **agua** *tibia*

1 1/2 cucharada (20 ml) de **aceite de
oliva extra virgen**
2 cucharaditas (12 g) de **sal**

PARA LA CUBIERTA
1 lata de 450 ml (16 oz) de **jitomates** *sin
piel, machacados a mano*
3 dientes de **ajo**, *finamente rebanados*

Coloque la harina sobre una superficie de trabajo limpia y haga una fuente en el centro.
Disuelva la levadura en el agua y vierta la mezcla de levadura en la fuente. Empiece a
incorporar gradualmente la mezcla de levadura con la harina hasta que se empiece a
formar una masa y agregue el aceite y la sal. Amase hasta obtener una masa tersa y
elástica. Frote la masa con un poco de aceite, tape con plástico adherente y deje reposar
alrededor de 10 minutos.

Engrase con aceite una charola para pizza de 30 cm (12 in). Pase la masa a la charola y,
usando las yemas de sus dedos, extienda la masa para cubrir la base de la misma.
Si usted utilizó 1 1/2 cucharadita de levadura, deje levar la masa alrededor de 40 minutos.
Si usted utilizó 3/4 cucharadita, tape la masa con una hoja de plástico adherente
ligeramente engrasada con aceite y refrigere por lo menos durante 5 horas. La masa se
levará perfectamente en el refrigerador, haciéndose ligera y aromática.
Cuando la masa haya levado, extienda uniformemente los jitomates sin piel (a
temperatura ambiente) sobre ella. Deje la pizza levar durante 40 minutos más. Hornee a
220°C (425°F) durante 20 minutos o hasta que el queso burbujee y la corteza se dore. En
cuanto lo saque del horno, disperse el ajo sobre la superficie.

PIZZA NAPOLITANA

Tiempo de preparación: 30 minutos   Tiempo de levado: de 1 1/2 hora a 5 horas
Tiempo de cocción: 8 minutos   Grado de dificultad: medio

4 PORCIONES

PARA LA MASA

5 tazas (650 g) de **harina de trigo simple**
o **harina italiana "00"**, más la necesaria
1 1/2 cucharadita (4 g) de **levadura seca**
instantánea para 2 horas de tiempo de
levado o 3/4 cucharadita (2 g) para 5
horas de tiempo de levado
1 1/2 taza (375 ml) de **agua** tibia
3 cucharaditas (18 g) de **sal**

PARA LA CUBIERTA

200 g (7 oz) de **puré de tomate**
Sal
Aceite de oliva extra virgen
500 g (1 lb 2 oz) **queso mozzarella de**
búfala, finamente rebanado
400 g (14 oz) de **jitomates** (de
preferencia **variedad beefsteak** u otra
variedad estriada), rebanados o partidos
en cubos
1/2 manojo de **albahaca** fresca

Coloque la harina sobre una superficie de trabajo limpia; haga una fuente en el centro.
Disuelva la levadura en el agua. Incorpore gradualmente la harina hasta obtener una
masa suelta; agregue la sal.
Amase hasta obtener una masa tersa. Cubra con plástico ligeramente engrasado con
aceite y deje levar hasta que haya duplicado su volumen (de 1 a 4 horas,
dependiendo de la temperatura).
Divida la masa en cuatro porciones y ruédelas para formar bolas. Deje levar una vez más
hasta que hayan duplicado su tamaño (de 30 minutos a una hora,
dependiendo de la temperatura).
Enharine la superficie de trabajo; aplanando cada bola, empezando con las yemas de sus
dedos y progresando en un movimiento giratorio de sus manos a medida que la masa se
aplana y se ensancha, haciendo un círculo de aproximadamente 20 cm (8 in) de diámetro.
Coloque los círculos sobre una charola para hornear.
Sazone el puré de tomate con sal y un chorrito de aceite de oliva y extiéndalo sobre cada
círculo de masa. Cubra con el queso mozzarella y los jitomates. Hornee a 250°C (480°F)
durante 8 minutos o hasta que el queso burbujee y la corteza se dore.
Decore con las hojas de albahaca.

PIZZA ESTILO APULIA

*Tiempo de preparación: 15 minutos   Tiempo de levado: de 1 1/2 a 6 horas
Tiempo de cocción: 20 minutos   Grado de dificultad: medio*

4 PORCIONES

PARA LA MASA
4 tazas (500 g) de **harina de trigo simple**
o **harina italiana "00"**, *más la necesaria*
1 1/2 cucharadita (4 g) de **levadura seca
instantánea** para 2 horas de tiempo de
levado o 3/4 cucharadita (2 g) para 6
horas de tiempo de levado
1 1/2 taza (350 ml) de **agua** tibia
1 1/2 cucharada (20 ml) de a**ceite de
oliva extra virgen**
2 cucharaditas (12 g) de **sal**

PARA LA CUBIERTA
1 lata de 450 ml (16 oz) de **jitomates** sin
piel, machacados a mano
7 rebanadas de **queso Caciocavallo o
provolone**
2 **cebollas** amarillas
10 **aceitunas verdes y negras**,
rebanadas
Orégano fresco (opcional)

Coloque la harina sobre una superficie de trabajo limpia y haga una fuente en el centro.
Disuelva la levadura en el agua y vierta la mezcla de levadura en la fuente. Empiece a
incorporar gradualmente la mezcla de levadura con la harina hasta que se empiece a
formar una masa y agregue el aceite y la sal. Amase hasta obtener una masa tersa y
elástica. Frote la masa con un poco de aceite, tape con plástico adherente
y deje reposar alrededor de 10 minutos.
Engrase con aceite una charola para pizza de 30 cm (12 in). Pase la masa a la charola y,
usando las yemas de sus dedos, extienda la masa para cubrir la base de la misma.
Si usted utilizó 1 1/2 cucharadita de levadura, deje levar la masa alrededor de 40 minutos.
Si usted utilizó 3/4 cucharadita, tape la masa con una hoja de plástico adherente
ligeramente engrasada con aceite y refrigere por lo menos durante 5 horas. La masa se
levará perfectamente en el refrigerador, haciéndose ligera y aromática.
Cuando la masa haya levado, cúbrala con jitomates, el queso Caciocavallo o provolone,
cebollas y aceitunas (todos a temperatura ambiente). Deje levar durante 40 minutos más.
Hornee a 220°C (425°F) durante 20 minutos o hasta que el queso burbujee
y la corteza se dore. Decore con orégano.

PIZZA ESTILO ROMANO

Tiempo de preparación: 15 minutos   Tiempo de levado: de 1 1/2 a 6 horas
Tiempo de cocción: 20 minutos   Grado de dificultad: medio

4 PORCIONES

PARA LA MASA

4 tazas (500 g) de **harina de trigo simple**
o **harina italiana "00"**, más la necesaria
1 1/2 cucharadita (4 g) de **levadura seca**
instantánea para 2 horas de tiempo de
levado o 3/4 cucharadita (2 g) para 6
horas de tiempo de levado
1 1/2 taza (350 ml) de **agua** tibia
1 1/2 cucharada (20 ml) de **aceite de**
oliva extra virgen
2 cucharaditas (12 g) de **sal**

PARA LA CUBIERTA

1 lata de 450 ml (16 oz) de **jitomates** sin
piel, machacados a mano
400 g (14 oz) de **queso mozzarella**,
finamente rebanado
8 **anchoas en aceite**, escurridas
10 **alcaparras**

Coloque la harina sobre una superficie de trabajo limpia y haga una fuente en el centro.
Disuelva la levadura en el agua y vierta la mezcla de levadura en la fuente. Empiece a
incorporar gradualmente la mezcla de levadura con la harina hasta que se empiece a
formar una masa, y agregue el aceite y la sal. Amase hasta obtener una masa tersa y
elástica. Frote la masa con un poco de aceite, tape con plástico adherente
y deje reposar alrededor de 10 minutos.
Engrase con aceite una charola para pizza de 30 cm (12 in). Pase la masa a la charola y,
usando las yemas de sus dedos, extienda la masa para cubrir la base de la misma.
Si usted utilizó 1 1/2 cucharadita de levadura, deje levar la masa alrededor de 40 minutos.
Si usted utilizó 3/4 cucharadita, tape la masa con una hoja de plástico adherente
ligeramente engrasada con aceite y refrigere por lo menos durante 5 horas. La masa
levará perfectamente haciéndose ligera y aromática.
Cuando la masa haya levado, extienda los jitomates sobre ella y cubra con el queso
mozzarella, anchoas y alcaparras (todo a temperatura ambiente). Deje levar durante 40
minutos más. Hornee a 220°C (425°F) durante 20 minutos o hasta que el queso
burbujee y la corteza se dore.

PIZZA CON HUEVO

Tiempo de preparación: 30 minutos   Tiempo de levado: de 1 1/2 a 5 horas
Tiempo de cocción: 2-8 minutos   Grado de dificultad: medio

4 PORCIONES

PARA LA MASA
5 tazas (650 g) de **harina de trigo simple**
3/4 cucharadita (2 g) de **levadura seca instantánea**
1 1/2 taza (375 ml) de **agua** tibia
1 cucharada (18 g) de **sal**

PARA LA CUBIERTA
600 g (1 lb 5 oz) de **jitomates** molidos
Sal al gusto
Orégano seco
Aceite de oliva extra virgen
500 g (1 lb 2 oz) de **queso mozzarella**, finamente rebanado
4 **huevos** grandes

Coloque la harina sobre una superficie de trabajo limpia y haga una fuente en el centro. Disuelva la levadura en el agua y vierta en la fuente. Incorpore gradualmente la harina hasta obtener una masa suelta; agregue la sal. Amase hasta obtener una masa tersa.

Cubra con plástico ligeramente engrasado con aceite y deje levar hasta que haya duplicado su volumen (de 1 a 4 horas, dependiendo de la temperatura). Divida la masa en cuatro porciones y ruédelas para hacer bolas. Deje levar una vez más hasta que una vez más hayan duplicado su tamaño (de 30 minutos a 1 hora, dependiendo de la temperatura).

Sazone los jitomates con sal, una pizca de orégano y una gota de aceite. Espolvoree la superficie de trabajo con harina y aplane cada bola de masa, empezando con las yemas de sus dedos y continuando con un movimiento giratorio de sus manos aplanando y ensanchando la masa para formar un círculo de aproximadamente 20 cm (8 in). Coloque los círculos de masa sobre una charola para hornear.

Precaliente el horno a 250°C (480°F). Extienda los jitomates molidos sobre las pizzas y cubra con queso mozzarella. Rompa un huevo sobre el centro de cada pizza. Hornee durante 7 u 8 minutos o hasta que el queso burbujee y la corteza se dore.

PIZZA ESTILO ROMANO
CON QUESOS CACIOTTA Y CAPOCOLLO

Tiempo de preparación: 30 minutos   Tiempo de levado: de 1 1/2 hora a 5 horas
Tiempo de cocción: 8 minutos   Grado de dificultad: medio

4 PORCIONES

PARA LA MASA

5 tazas (650 g) de **harina de trigo simple**
o **harina italiana "00"**, más la necesaria
3/4 cucharadita (2 g) de **levadura seca instantánea**
1 1/2 taza más 1 cucharadita (375 ml) de **agua** tibia
1 cucharada (18 g) de **sal**

PARA LA CUBIERTA

600 g (1 1/3 lb) de **jitomates** molidos
Sal al gusto
Aceite de oliva extra virgen
250 g (9 oz) de **queso estilo Roman Caciotta (o Manchego)**, finamente rebanado
120 g (4 1/4 oz) de **Capocollo (salami calabrés hecho de paletilla o cuello de cerdo curado)**
Orégano al gusto

Coloque la harina sobre una superficie de trabajo limpia; haga una fuente en el centro. Disuelva la levadura en el agua; vierta en la fuente. Incorpore gradualmente la harina hasta obtener una masa suelta; añada la sal. Amase hasta obtener una masa tersa y elástica. Cubra la masa con plástico adherente ligeramente engrasado con aceite y deje levar hasta que duplique su volumen (de 1 a 4 horas, dependiendo de la temperatura). Divida la masa en cuatro porciones y ruédelas para formar bolas. Deje levar una vez más, cubriéndolas con plástico adherente ligeramente engrasado con aceite, hasta que una vez más dupliquen su tamaño (de 30 minutos a 1 hora dependiendo de la temperatura). Sazone los jitomates con sal y un chorrito de aceite de oliva.
Enharine la superficie de trabajo y aplane cada bola de masa usando las yemas de sus dedos y siguiendo en movimiento giratorio de sus manos para aplanar y ensanchar la masa, formando un círculo de aproximadamente 20 cm (8 in) de diámetro. Coloque los círculos sobre una charola para hornear.
Extienda los jitomates sobre las pizzas y cubra con el queso Caciotta, la mitad del Capocollo y orégano al gusto. Hornee a 250°C (480°F) durante 8 minutos o hasta que el queso burbujee y la corteza se dore. Decore con el Capocollo restante.

PIZZA CON BERENJENA
Y QUESO PROVOLA

Tiempo de preparación: 30 minutos   Tiempo de levado: de 1 1/2 hora a 5 horas
Tiempo de cocción: 8 minutos   Grado de dificultad: medio

4 PORCIONES

PARA LA MASA

5 tazas (650 g) de **harina de trigo simple**
o **harina italiana "00"**, más la necesaria
3/4 cucharadita (2 g) de **levadura seca instantánea**
1 1/2 taza más 1 cucharadita (375 ml) de **agua** tibia
1 cucharada (18 g) de **sal**

PARA LA CUBIERTA

500 g (1 lb) de **jitomates** molidos
Sal al gusto
Aceite de oliva extra virgen
300 g (10 1/2 oz) de **berenjena**
250 g (9 oz) de **jitomates Pachino o cereza**
500 g (1 lb) de **queso Provola siciliano (o Fontina o Pecorino)**, finamente rebanado

Coloque la harina sobre una superficie de trabajo limpia y haga una fuente en el centro. Disuelva la levadura en el agua y viértala en el centro de la fuente. Incorpore gradualmente con la harina hasta obtener una masa suelta y agregue la sal. Amase hasta obtener una masa tersa y elástica. Cubra la masa con plástico adherente ligeramente engrasado con aceite y deje levar hasta que duplique su volumen (de 1 a 4 horas, dependiendo de la temperatura).

Divida la masa en cuatro porciones y ruédelas para formar bolas. Deje levar una vez más, cubriéndolas con plástico adherente ligeramente engrasado con aceite, hasta que una vez más dupliquen su tamaño (de 30 minutos a 1 hora, dependiendo de la temperatura).

Sazone los jitomates molidos con sal y un chorrito de aceite de oliva. Rebane y ase la berenjena o fría las rebanadas en aceite de oliva, y escurra. Parta los jitomates a la mitad.

Espolvoree la superficie de trabajo con harina y aplane cada bola de masa, empezando con las yemas de sus dedos y continuando con un movimiento giratorio de sus manos aplanando y ensanchando la masa, hasta hacer un círculo de aproximadamente 20 cm (8 in). Coloque los círculos sobre una charola para hornear. Extienda los jitomates molidos sobre las pizzas y cubra con el queso, jitomates y berenjena. Hornee a 250°C (480°F) durante 8 minutos o hasta que el queso burbujee y la corteza se dore.

PIZZA CON TOCINO Y PAPA

Tiempo de preparación: 30 minutos   Tiempo de levado: de 1 1/2 hora a 5 1/2 horas
Tiempo de cocción: 8 minutos   Grado de dificultad: medio

4 PORCIONES

PARA LA MASA
5 tazas (650 g) de **harina de trigo simple**
o **harina italiana "00"**, *más la necesaria*
3/4 cucharadita (5 g) de **levadura seca**
instantánea
1 1/2 taza más 1 cucharada (375 ml) de
agua *tibia*
1 cucharada (18 g) de **sal**

PARA LA CUBIERTA
300 g (2/3 lb) de **papas**
150 g (1/3 lb) de **tocino** *rebanado*
2 ramas de **romero** *fresco, picadas*
Sal *al gusto*
Aceite de oliva extra virgen

Coloque la harina sobre una superficie de trabajo limpia y haga una fuente en el centro.
Disuelva la levadura en el agua y viértala en el centro de la fuente. Incorpore
gradualmente la harina hasta obtener una masa suelta y agregue la sal. Amase hasta
obtener una masa tersa y elástica. Cubra la masa con plástico adherente ligeramente
engrasado con aceite y deje levar hasta que duplique su volumen (de 1 a 4 horas
dependiendo de la temperatura).
Divida la masa en cuatro porciones y ruédelas para formar bolas. Deje levar una vez más,
cubriéndolas con plástico adherente ligeramente engrasado con aceite, hasta que una
vez más dupliquen su tamaño (de 30 minutos a 1 hora dependiendo de la temperatura).
Lave, retire la piel y rebane finamente las papas.
Espolvoree la superficie de trabajo con harina y aplane cada bola de masa, empezando
con las yemas de sus dedos y continuando con un movimiento giratorio de sus manos
mientras aplana y ensancha la masa, para formar un círculo de aproximadamente 20 cm
(8 ln) de diámetro. Coloque los círculos sobre una charola para hornear. Acomodo el
tocino y las papas sobre la superficie de las pizzas y espolvoree con el romero, una pizca
de sal y un chorrito de aceite de oliva.
Hornee a 250°C (480°F) durante 8 minutos o hasta que las papas y la corteza se doren.

PIZZA CON PORO,
SALCHICHA Y QUESO

Tiempo de preparación: 30 minutos   Tiempo de levado: de 1 1/2 hora a 5 1/2 hora
Tiempo de cocción: 8 minutos   Grado de dificultad: medio

4 PORCIONES

PARA LA MASA

5 tazas (650 g) de **harina de trigo simple**
o **harina italiana "00"**, más la necesaria
3/4 cucharadita (2 g) de **levadura seca
instantánea**
1 1/2 taza más 1 cucharadita (375 ml) de
agua tibia
1 cucharada (18 g) de **sal**

PARA LA CUBIERTA

600 g (1 1/3 lb) de **jitomates** molidos
Sal al gusto
Aceite de oliva extra virgen
200 g (7 oz) de **queso Bra Tenero o
Cheddar**, partido en cubos
400 g (14 oz) de **salchichas de cerdo**
frescas, finamente picadas
2 **poros**, únicamente las partes blancas,
rebanadas

Coloque la harina sobre una superficie de trabajo limpia y haga una fuente en el centro. Disuelva la levadura en el agua y vierta la mezcla de levadura en la fuente. Empiece a incorporar gradualmente la mezcla de levadura con la harina hasta que se empiece a formar una masa y agregue la sal. Amase hasta obtener una masa tersa y elástica. Cubra la masa con plástico adherente ligeramente engrasado con aceite y deje levar en un lugar caliente hasta que haya duplicado su volumen (esto puede tardar de 1 a 4 horas dependiendo de la temperatura).

Forme cuatro bolas con la masa. Deje levar una vez más hasta que dupliquen su volumen (de 30 minutos a 1 hora).

Sazone los jitomates molidos al gusto con sal y aceite de oliva.

Espolvoree la superficie de trabajo con bastante harina y aplane cada bola de masa con sus manos, empezando con las yemas de sus dedos y continuando con un movimiento giratorio de sus manos para aplanar y ensanchar la masa, haciendo un círculo de aproximadamente 20 cm (8 in) de diámetro. Coloque los círculos de masa sobre una charola para hornear.

Extienda los jitomates molidos uniformemente sobre las pizzas. Acomode el queso, salchicha y poros sobre la superficie. Hornee a 250°C (480°F) alrededor de 8 minutos o hasta que el queso burbujee y la corteza se dore.

PIZZA CON JAMÓN DE PARMA

Tiempo de preparación: 15 minutos   Tiempo de cocción: 20 minutos
Tiempo de levado: 2-6 horas   Grado de dificultad: medio

4 PORCIONES

PARA LA MASA
4 tazas (500 g) de **harina de trigo simple**
o **harina italiana "00"**, *más la necesaria*
1 1/2 cucharadita (4 g) de **levadura seca**
instantánea *para 2 horas de tiempo de*
levado o 3/4 cucharadita (2 g) para 6
horas de tiempo de levado
1 1/2 taza (350 ml) de **agua** *tibia*
1 1/2 cucharada (20 ml) de **aceite de**
oliva extra virgen

2 cucharaditas (12 g) de **sal**

PARA LA CUBIERTA
1 lata de 450 ml (16 oz) de **jitomates**,
machacados a mano
400 g (14 oz) de **queso mozzarella**,
finamente rebanado
10 rebanadas delgadas de **jamón de**
Parma

Coloque la harina sobre una superficie de trabajo limpia y haga una fuente en el centro. Disuelva la levadura en el agua y viértala en el centro de la fuente. Incorpore gradualmente la harina hasta obtener una masa suelta y agregue el aceite y la sal. Amase hasta obtener una masa tersa y elástica. Frote la masa con un poco de aceite, tape con plástico adherente y deje reposar alrededor de 10 minutos. Engrase con aceite una charola para pizza de 30 cm (12 in). Usando las yemas de sus dedos, extienda la masa para cubrir la base de la charola.
Si usted utilizó 1 1/2 cucharadita de levadura, deje levar la masa alrededor de 40 minutos. Si usted usó 3/4 cucharadita de levadura, cubra la masa con plástico adherente ligeramente engrasado con aceite y refrigere por lo menos durante 5 horas. La masa se levará bien en el refrigerador, haciéndose ligera y aromática.
Cuando la masa haya levado, cubra con jitomates y queso mozzarella
(a temperatura ambiente).
Deje levar durante 40 minutos más. Hornee a 220°C (425°F) durante 20 minutos o hasta que el queso burbujee y la corteza se dore. Cubra con el jamón
(a temperatura ambiente).

PIZZA CON ARÚGULA
Y QUESO PARMIGIANO-REGGIANO

Tiempo de preparación: 15 minutos   Tiempo de cocción: 20 minutos
Tiempo de levado: 2-6 horas   Grado de dificultad: medio

4 PORCIONES

PARA LA MASA

4 tazas (500 g) de **harina de trigo simple**
o **harina italiana "00"**, *más la necesaria*
1 1/2 cucharadita (4 g) de **levadura seca**
instantánea *para 2 horas de tiempo de*
levado o 3/4 cucharadita (2 g) para 6
horas de tiempo de levado
1 1/2 taza (350 ml) de **agua** *tibia*
1 1/2 cucharada (20 ml) de **aceite de**
oliva extra virgen
2 cucharaditas (12 g) de **sal**

PARA LA CUBIERTA

1 lata (450 g/16 oz) de **jitomates**
medianos *sin piel, machacados a mano*
400 g (14 oz) de **queso mozzarella**,
finamente rebanado
120 g (4 oz) de **hojas de arúgula**
pequeña, *picadas*
150 g (5 1/4 oz) de **queso Parmigiano-**
Reggiano *recién rallado*

Coloque la harina sobre una superficie de trabajo limpia y haga una fuente en el centro.
Disuelva la levadura en el agua y vierta la mezcla de levadura en la fuente. Empiece a
incorporar gradualmente la mezcla de levadura con la harina hasta que se empiece a
formar una masa, y agregue el aceite y la sal. Amase hasta obtener una masa tersa y
elástica. Frote la masa con un poco de aceite, tape con plástico adherente
y deje reposar alrededor de 10 minutos.

Engrase con aceite una charola para pizza de 30 cm (12 in). Pase la masa a la charola y,
usando las yemas de sus dedos, extienda la masa para cubrir la base de la charola.
Si usted utilizó 1 1/2 cucharadita de levadura, deje levar la masa en un cuarto caliente
alrededor de 40 minutos. Si usted utilizó 3/4 cucharadita de levadura, cubra la masa con
plástico adherente ligeramente engrasado con aceite y refrigere por lo menos durante 5
horas. La masa levará perfectamente en el refrigerador, haciéndose ligera y aromática.
Cuando la masa haya levado, extienda los jitomates sobre ella y cubra con el queso
mozzarella (a temperatura ambiente). Deje levar durante 40 minutos más. Hornee a 220°C
(425°F) durante 20 minutos o hasta que la corteza se dore.
Decore con la arúgula y el queso Parmigiano-Reggiano (a temperatura ambiente).

46

PIZZA CON SPECK
Y QUESO SCAMORZA AHUMADO

Tiempo de preparación: 15 minutos   Tiempo de levado: de 2 a 6 horas
Tiempo de cocción: 20 minutos   Grado de dificultad: medio

4 PORCIONES

PARA LA MASA
4 tazas (500 g) de **harina de trigo simple**
o **harina italiana "00"**, *más la necesaria*
1 1/2 cucharadita (4 g) de **levadura seca**
instantánea *para 2 horas de tiempo de*
levado o 3/4 cucharadita (2 g) para 6
horas de tiempo de levado
1 1/2 taza (350 ml) de **agua** *tibia*
1 1/2 cucharada (20 ml) de **aceite de**
oliva extra virgen

2 cucharaditas (12 g) de **sal**

PARA LA CUBIERTA
1 lata de 450 ml (16 oz) de **jitomates** *sin*
piel, machacados a mano
400 g (14 oz) de **queso mozzarella**
10 rebanadas de **speck (jamón del tirol)**
6 rebanadas de **Scamorza ahumado o**
queso mozzarella ahumado, *finamente*
rebanado

Coloque la harina sobre una superficie de trabajo limpia y haga una fuente en el centro.
Disuelva la levadura en el agua y vierta la mezcla de levadura en la fuente. Empiece a
incorporar gradualmente la mezcla de levadura con la harina hasta que se empiece a
formar una masa y agregue el aceite y la sal. Amase hasta obtener una masa tersa y
elástica. Frote la masa con un poco de aceite, tape con plástico adherente y deje reposar
alrededor de 10 minutos.

Engrase con aceite una charola para pizza de 30 cm (12 in). Pase la masa a la charola y,
usando las yemas de sus dedos, extienda la masa para cubrir la base de la charola.
Si usted utilizó 1 1/2 cucharadita de levadura, deje levar la masa en un cuarto caliente
alrededor de 40 minutos. Si usted utilizó 3/4 cucharadita de levadura, cubra la masa con
plastico adherente ligeramente engrasado con aceite y refrigere por lo menos durante 5
horas. La masa levará perfectamente en el refrigerador, haciéndose ligera y aromática.
Cuando la masa haya levado, extienda los jitomates uniformemente sobre las pizzas.
Acomode el queso mozzarella, speck y Scamorza ahumado (todos a temperatura ambiente)
sobre la superficie. Deje la pizza levar durante 40 minutos más y hornee a 220°C (425°F)
alrededor de 20 minutos o hasta que el queso burbujee y la corteza se dore.

PIZZA CON ESPINACA
Y QUESO RICOTTA

Tiempo de preparación: 30 minutos   Tiempo de levado: de 1 1/2 hora a 5 1/2 hor
Tiempo de cocción: 8 minutos   Grado de dificultad: medio

4 PORCIONES

PARA LA MASA

5 tazas (650 g) de **harina de trigo simple**
o **harina italiana "00"**, *más la necesaria*
3/4 cucharadita (2 g) de **levadura seca
instantánea**
1 1/2 taza más 1 cucharadita (375 ml) de
agua *tibia*
2 1/2 cucharaditas (18 g) de **sal**

PARA LA CUBIERTA

1 diente de **ajo**
3 cucharadas (45 ml) de **aceite de oliva
extra virgen**
500 g (1 lb) de **espinaca** *fresca*
500 g (1 lb) de **queso ricotta**
30 g (1 oz) de **queso Parmigiano-
Reggiano**, *rallado*

Coloque la harina sobre una superficie de trabajo limpia y haga una fuente en el centro.
Disuelva la levadura en el agua y viértala en el centro de la fuente. Incorpore gradualmente
con la harina hasta obtener una masa suelta y agregue la sal. Amase hasta obtener una
masa tersa y elástica. Cubra la masa con plástico adherente ligeramente engrasado con
aceite y deje levar hasta que haya duplicado su volumen (de 1 a 4 horas,
dependiendo de la temperatura).

Divida la masa en cuatro porciones y ruédelas para formar bolas. Deje levar una vez más,
cubriéndolas con plástico adherente ligeramente engrasado con aceite, hasta que una vez
más haya duplicado su tamaño (de 30 minutos a 1 hora, dependiendo de la temperatura).
Dore el ajo en el aceite de oliva. Lave y escurra la espinaca, saltee ligeramente en la misma
sartén sobre fuego alto. Agregue sal al gusto. Deseche el ajo.

Espolvoree la superficie de trabajo con bastante harina y aplane cada bola de masa,
empozando con las yemas de sus dedos y después haciendo un movimiento giratorio con
sus manos a medida que la masa se aplana y ensancha, para hacer círculos de
aproximadamente 20 cm (8 in). Coloque los círculos sobre una charola para hornear.
Coloque la espinaca y el queso ricotta sobre las pizzas.
Espolvoree con el queso Parmigiano-Reggiano. Hornee a 250°C (480°F) alrededor de 8
minutos o hasta que el queso burbujee y la corteza se dore.

PIZZA MARGARITA

Tiempo de preparación: 15 minutos   Tiempo de levado: 2-6 horas
Tiempo de cocción: 20 minutos   Grado de dificultad: medio

4 PORCIONES

PARA LA MASA
4 tazas (500 g) **de harina de trigo simple**
o **harina italiana "00"**, más la necesaria
1 1/2 cucharadita (4 g) de **levadura seca**
instantánea para 2 horas de tiempo de
levado o 3/4 cucharadita (2 g) para 6
horas de tiempo de levado
1 1/2 taza (350 ml) de **agua** tibia
1 1/2 cucharada (20 ml) de **aceite de**
oliva extra virgen
2 cucharaditas (12 g) de **sal**

PARA LA CUBIERTA
1 lata de 450 ml (16 oz) de **jitomates** sin
piel, machacados a mano
400 g (14 oz) de **queso mozzarella**,
finamente rebanado
1/2 manojo de **albahaca** fresca

Coloque la harina sobre una superficie de trabajo limpia y haga una fuente en el centro. Disuelva la levadura en el agua y vierta la mezcla de levadura en la fuente. Empiece a incorporar gradualmente la mezcla de levadura con la harina hasta que se empiece a formar una masa y agregue el aceite y la sal. Amase hasta obtener una masa tersa y elástica. Frote la masa con un poco de aceite, tape con plástico adherente y deje reposar alrededor de 10 minutos.

Engrase con aceite una charola para pizza de 30 cm (12 in). Pase la masa a la charola y, usando las yemas de sus dedos, extienda la masa para cubrir la base de la charola.

Si usted utilizó 1 1/2 cucharadita de levadura, deje levar la masa en un cuarto caliente alrededor de 40 minutos. Si usted utilizó 3/4 cucharadita de levadura, cubra la masa con plástico adherente ligeramente engrasado con aceite y refrigere por lo menos durante 5 horas. La masa levará perfectamente en el refrigerador, haciéndose ligera y aromática. Cuando la masa haya levado, extienda los jitomates sin piel sobre ella. Cubra con queso mozzarella (a temperatura ambiente). Deje levar durante 40 minutos más. Hornee a 220°C (425°F) durante 20 minutos o hasta que el queso burbujee y la corteza se dore. Decore con hojas de albahaca fresca.

PIZZA SFINCIONE

SICILIANA

Tiempo de preparación: 30 minutos   Tiempo de levado: 1 1/2 hora
Tiempo de cocción: 25 minutos   Grado de dificultad: medio

4 PORCIONES

PARA LA MASA
2 tazas (250 g) de **harina de trigo duro** o
harina de sémola
2 tazas (250 g) de **harina de trigo simple**
o **harina italiana "00"**, más la necesaria
2 1/4 cucharaditas (6 g) de **levadura seca**
instantánea
1 taza (250 ml) de **agua** tibia
1 1/4 cucharadita (5 g) de **azúcar**
3 cucharadas más 1 cucharadita (50 ml)
de **aceite de oliva extra virgen**
2 cucharaditas (12 g) de **sal**

PARA LA CUBIERTA
3 **jitomates** medianos, sin piel ni semillas
y finamente picados
Sal y pimienta al gusto
3 cucharadas más 1 cucharadita (50 ml)
de **aceite de oliva extra virgen**
1 **cebolla** mediana, finamente picada
Orégano fresco picado
100 g (3 1/2 oz) de **queso Caciocavallo**
fresco o provolone
100 g (3 1/2 oz) de **queso Caciocavallo**
semi condimentado o provolone, rallado
8 **anchoas**, desaladas o en aceite

Mezcle ambas harinas sobre una superficie de trabajo limpia y haga una fuente en el centro. Disuelva la levadura en el agua y agregue a la fuente. Incorpore gradualmente la harina hasta obtener una masa suelta. Agregue el azúcar y el aceite y, por último la sal disuelta en 3 cucharadas (50 ml) de agua. Amase hasta obtener una masa tersa y elástica.
Cubra la masa con plástico adherente ligeramente engrasado con aceite y deje levar alrededor de una hora, hasta que duplique su volumen
En un tazón mezcle los jitomates con la sal, pimienta y aceite.
Integre la cebolla y una pizca de orégano.
Extienda la masa con las yemas de sus dedos sobre una charola para asar redonda previamente engrasada. Cubra con los quesos, las anchoas y la mezcla de jitomate. Deje levar por lo menos durante 30 minutos.
Hornee a 230°C (450°F) durante 25 minutos o hasta que la corteza se dore y el queso se derrita.

FOCACCIA

La historia de la focaccia, la hermana discreta de la pizza, se ha perdido en la bruma del tiempo. Parece ser que una antecesora de la focaccia fue preparada por los fenicios, los cartagineses y los griegos con harina de cebada, mijo o centeno. Era sólo un pan sazonado con grasa y cocido sobre una fogata. De hecho, el nombre de focaccia se deriva del vocablo latino focus, el cual significa hogar o sartén para la fogata. Pero mientras el pan es una necesidad, la focaccia es un lujo. En la antigua Roma era ofrecida a los dioses y durante el Renacimiento se servía en los banquetes de boda.

Liguria es la región italiana que ha hecho más focaccias que cualquier otra por lo que es considerada un producto local. La focccia genovesa es de más de dos centímetros de alto, crujiente en la superficie pero suave por dentro y está cubierta con aceite de oliva extra virgen de Liguria. En algunos lugares la superficie tiene una capa delgada de cebolla cruda partida en rebanadas, un poco de pimienta y romero o semillas de hinojo. En otras, se le incorporan aceitunas verdes o negras picadas y hojas de salvia.

La novi focaccia es una especialidad del Piamonte, preparada en una manera no industrial en los hornos de Novi Ligure y Ovada. Se parece a la focccia genovesa pero difiere en que es más delgada (siendo máximo de 1 cm/1/2 in de grueso) y está condimentada con menos aceite de oliva extra virgen.

Incluso en el sur de Italia se ha desarrollado una tradición para sazonar la focaccia de diferentes maneras. La focaccia más famosa es la de Apulia, que se come tradicionalmente en los días de campo dominicales. La cubierta de jitomates cereza y orégano hace que esta focaccia rústica sea similar a la pizza, mientras que las papas que lleva la masa proporcionan un sabor suave y especial.

¡Sea creativo!

La focaccia también se puede hacer con otros cereales en lugar del trigo, por ejemplo, trigo de Khorasan, maíz o espelta. Incluso puede utilizar harina de alforfón, el cual no es un paso "auténtico" pero es usado tradicionalmente en Trentino y Lombardía para preparar pan. Hay focaccias para satisfacer todos los gustos. La focaccia preparada con polenta o harina de garbanzo es deliciosa. O, si lo desea, puede agregar vino o cerveza a la masa para focaccia y sazonar con una infinidad de ingredientes: con salsa genovesa de pesto, papas y ejotes verdes, con hierbas picadas en la masa, incluso cubierta con cebollas o con aceitunas y queso Robiola. Por supuesto que la focaccia también se presta a preparaciones dulces. Es una gran idea para un brunch.

BORLENGO

(CREPA)

Tiempo de preparación: 10 minutos   Tiempo de levado: 1 hora
Tiempo de cocción: 5 minutos   Grado de dificultad: medio

4 PORCIONES

2 tazas (250 g) de **harina de trigo simple o harina preparada para pastel**
4 1/4 tazas (1 litro) de **agua** *tibia*
1 huevo
1 cucharada (18 g) de **sal**
50 g (1 3/4 oz) de **manteca de cerdo o grasa de tocino**
1 rama de **romero** *fresco*
1 diente de **ajo**
2 cucharadas (30 g) de **mantequilla sin sal**
100 g (3 1/2 oz) de **queso Parmigiano-Reggiano**, *rallado*

Bata la harina, el agua y el huevo con ayuda de un batidor globo. Agregue la sal y bata hasta obtener una masa tersa.

Deje reposar la masa a temperatura ambiente por lo menos durante una hora. Mientras tanto, pique finamente la manteca de cerdo o grasa de tocino con el romero y el ajo.

Caliente una sartén antiadherente de 23 a 25 cm (9-10 in) o una sartén para hacer crepas previamente engrasada con un poco de mantequilla sobre fuego medio (tradicionalmente se utilizaba una sartén de cobre engrasada con grasa de jamón). Vierta un cucharón (aproximadamente 1/4 taza) de masa en la sartén caliente, ladeándola para cubrir uniformemente la base.

Cocine alrededor de 45 segundos, hasta que la base se cuaje y dore ligeramente. Voltee la crepa con ayuda de una espátula de hule y cocine alrededor de 30 segundos más. Espolvoree el centro de cada crepa con la mezcla de manteca y hierbas y espolvoree con el queso Parmigiano-Reggiano. Doble a la mitad y una vez más a la mitad y sirva de inmediato.

CALZONE DE VERDURAS

Tiempo de preparación: 30 minutos   Tiempo de levado: de 1 1/2 hora a 5 1/2 hor.
Tiempo de cocción: 8 minutos   Grado de dificultad: medio

4 PORCIONES

PARA LA MASA
5 tazas (650 g) de **harina de trigo simple**
o **harina italiana "00"**, *más la necesaria*
3/4 cucharadita (2 g) de **levadura seca**
instantánea
1 1/2 taza más 1 cucharadita (375 ml) de
agua *tibia*
2 1/2 cucharaditas (18 g) de **sal**

PARA EL RELLENO
200 g (7 oz) de **espinaca**

500 g (1 lb) de **jitomates** *o*
aproximadamente 5 medianos
300 g (10 1/2 oz) de **pimientos** *o*
aproximadamente 2 1/2 medianos
50 g (1 3/4 oz) de **cebollitas de cambray**
200 g (7 oz) de **berenjena**
1/2 taza (100 ml) de **aceite de oliva extra**
virgen
Sal *al gusto*
1/2 manojo de **albahaca** *fresca, picada*

Coloque la harina sobre una superficie de trabajo limpia; haga una fuente en el centro.
Disuelva la levadura en el agua; vierta en la fuente. Incorpore gradualmente la harina
hasta obtener una masa suelta; agregue la sal. Amase hasta obtener una masa tersa.
Cubra la masa con plástico adherente ligeramente engrasado con aceite y deje levar
hasta que haya duplicado su volumen (de 1 a 4 horas, dependiendo de la temperatura).
Divida la masa en cuatro porciones y ruédelas para formar bolas. Deje levar las bolas de
masa una vez más, cubriéndolas con plástico adherente ligeramente engrasado con
aceite, hasta que hayan duplicado su tamaño una vez más (de 30 minutos a 1 hora
dependiendo de la temperatura). Lave y pique la espinaca. Corte las verduras en dados
de 2 cm (1 in) y fría por separado en aceite de oliva con sal al gusto hasta que estén
crujientes. Coloque las verduras y la albahaca en un tazón, mezcle y deje enfriar.
Aplane cada bola de masa sobre una superficie de trabajo, empezando con las yemas de
sus dedos y continuando con un movimiento giratorio de sus manos a medida que la
masa se aplana y se agranda para formar círculos de aproximadamente 20 cm (8 in) de
diámetro. Coloque los círculos sobre una charola para hornear.
Extienda las verduras sobre la mitad de cada disco, doble a la mitad y selle las orillas.
Hornee a 250°C (500°F) durante 8 minutos o hasta la corteza se dore.

60

CRESCIONE
CON HOJAS DE BETABEL

Tiempo de preparación: 30 minutos   Tiempo de levado: 1 hora
Tiempo de cocción: 8 minutos   Grado de dificultad: medio

4 PORCIONES

PARA LA MASA
4 tazas (500 g) de **harina de trigo simple**
o **harina preparada para pastel**
1/2 taza (125 ml) de **leche** tibia
1 **huevo** grande
1 cucharada (15 g) de **polvo para hornear**
75 g (2 2/3 oz) de **manteca de cerdo o grasa de tocino**, suavizada o 1 cucharada más 2 cucharaditas (25 ml) de **aceite de oliva extra virgen**

1 2/3 cucharadita (10 g) de **sal**

PARA EL RELLENO
500 g (1 lb) **hojas de betabel**
25 g (7/8 oz) de **manteca de cerdo o grasa de tocino**, suavizada
1 diente de **ajo**
Sal y pimienta al gusto
30 g (1 oz) de **queso Parmigiano-Reggiano**

Coloque la harina sobre una superficie de trabajo limpia y haga una fuente en el centro. Agregue la leche, huevo, polvo para hornear, manteca de cerdo y sal a la fuente y mezcle hasta integrar. Incorpore gradualmente con la harina y empiece a amasar. Continúe amasando hasta obtener una masa tersa y elástica.

Cubra la masa con una toalla de cocina y deje reposar por lo menos durante una hora. Prepare las hojas de betabel; corte, lave, escurra y saltee en una sartén con la manteca de cerdo o grasa de tocino (o aceite de oliva) y ajo. Agregue sal y pimienta. Cocine durante 5 minutos. Deseche el ajo. Deje enfriar las hojas, píquelas toscamente y agregue el queso Parmigiano-Reggiano.

Divida la masa en barras pequeñas de 150 g (5 oz) cada una. Extiéndalas para formar discos de aproximadamente 3 mm (1/8 in) de grueso y de 25 a 30 cm (10-12 in) de diámetro. Coloque un poco de las hojas cocidas en el centro de cada disco, doble a la mitad y selle las orillas.

Cocine los crescioni sobre una parrilla previamente engrasada o en una sartén antiadherente sobre fuego alto durante 4 minutos de cada lado o hasta que se dore y el queso se haya derretido.

CRESCIONE
CON HONGOS PORCINI Y QUESO

Tiempo de preparación: 30 minutos   Tiempo de levado: 1 hora
Tiempo de cocción: 8 minutos   Grado de dificultad: medio

4 PORCIONES

PARA LA MASA
4 tazas (500 g) de **harina de trigo simple**
o **harina italiana "00"**
3/4 taza más 2 cucharadas (200 ml) de
leche
1 **huevo** grande
1 cucharada (15 g) de **polvo para
hornear**
75 g (2 2/3 oz) de **manteca de cerdo**
1 1/2 cucharadita (10 g) de **sal**

PARA EL RELLENO
1 cucharada más 1 cucharadita (20 ml)
de **aceite de oliva extra virgen**
300 g (10 1/2 oz) de **hongos porcini**,
limpios y partidos en cubos de 2.5 cm
(1 in)
1 diente de **ajo**
1 cucharada (4 g) de perejil
Sal y pimienta al gusto
120 g (4 1/4 oz) de **queso suave como el
Trachino o Crescenza**, partido en cubos

Coloque la harina sobre una superficie de trabajo limpia; haga una fuente en el centro.
Agregue leche, huevo, polvo para hornear, manteca de cerdo y sal a la fuente; mezcle.
Incorpore gradualmente la mezcla con la harina.
Amase hasta obtener una masa suave, tersa y elástica.
Cubra la masa con una toalla de cocina y deje reposar por lo menos durante una hora.
Caliente el aceite en una sartén. Agregue los hongos y el ajo y saltee brevemente. Integre el
perejil, sal y pimienta al gusto y saltee durante 5 minutos o hasta que los hongos se hayan
suavizado. Retire del fuego y deje enfriar. Deseche el ajo.
Divida la masa en barras pequeñas de aproximadamente 150 g (5 oz) cada una. Extiéndalas
para hacer discos de aproximadamente 3 mm (1/8 in) de grueso y de 25 a 30 cm (10-12 in)
de diámetro. Coloque un poco de los hongos cocidos en el centro de cada disco con un
poco de queso. Doble los discos a la mitad y selle las orillas.
Cocine los crescioni sobre una parrilla caliente o en una sartén antiadherente sobre fuego
alto durante 4 minutos de cada lado o hasta que se doren y que el queso se haya derretido.

FOCACCIA DE CERVEZA

Tiempo de preparación: 20 minutos Tiempo de levado: 2 1/2 horas
Tiempo de cocción: 20 minutos Grado de dificultad: medio

4 PORCIONES

PARA LA MASA
4 tazas (500 g) de **harina de trigo simple**
o **harina preparada para pastel**
2 1/4 cucharaditas (6 1/2 g) de **levadura
seca instantánea**
1 1/3 taza (300 ml) de **cerveza** tibia
1 cucharada (15 ml) de **aceite de oliva
extra virgen**

1 1/2 cucharadita (10 g) de **sal**

PARA LA SALMUERA GENOVESA
3 1/2 cucharadas (50 ml) de **agua**
1 cucharada más 2 cucharaditas (25 ml)
de **aceite de oliva extra virgen**
1 1/4 cucharadita (7 g) de **sal gruesa**

Coloque la harina sobre una superficie de trabajo limpia, mezcle la levadura con la harina y haga una fuente en el centro. Agregue la cerveza a la fuente y empiece gradualmente a incorporarla con la harina. Agregue el aceite y, por último, la sal, y amase hasta obtener una masa suave, tersa y elástica.

Cubra la masa con una hoja de plástico adherente previamente engrasada con aceite y deje levar en un lugar caliente hasta que haya duplicado su tamaño (alrededor de una hora).

Para preparar la salmuera, mezcle el agua, aceite de oliva y sal gruesa en un tazón. Mezcle para hacer una emulsión y deje reposar.

Extienda la masa con ayuda de un rodillo hasta dejar de aproximadamente 1 cm (1/3 in) de grueso y pásela a un molde para hornear redondo, ligeramente engrasado con aceite. Deje reposar durante 10 minutos más. Extienda la masa con las yemas de sus dedos para cubrir la base del molde.

Barnice la focaccia con la salmuera, untándola sobre la superficie con sus manos y picando con las yemas de sus dedos para formar pequeños hoyuelos en donde se reunirán los condimentos. Deje levar en un lugar caliente durante 90 minutos. Hornee a 200°C (390°F) alrededor de 20 minutos o hasta que se dore.

FOCACCIA DE SALVIA

Tiempo de preparación: 15 minutos   Tiempo de levado: 1 1/2 hora
Tiempo de cocción: 25 minutos   Grado de dificultad: medio

4 PORCIONES

PARA LA FOCACCIA
4 tazas (500 g) de **harina de trigo simple**
1 1/2 cucharadita (4 g) de **levadura seca instantánea**
1 taza (250 ml) de **agua** tibia
1 cucharada (10 g) de **malta** o 1/2 cucharada (10 g) de **miel de abeja**
10 **hojas de salvia**, finamente picadas
2 cucharadas más 2 cucharaditas (40 ml) de **aceite de oliva extra virgen**

1 1/2 cucharadita (10 g) de **sal**

PARA LA SALMUERA GENOVESA
1/2 taza (100 ml) de **agua**
3 cucharadas más 1 cucharadita (50 ml) de **aceite de oliva extra virgen**
2 1/4 cucharaditas (14 g) de **sal gruesa**

Coloque la harina sobre una superficie de trabajo limpia y haga una fuente en el centro. Disuelva la levadura en el agua. Vierta la mezcla de levadura y malta en la fuente y empiece a incorporarlos gradualmente con la harina. Agregue la salvia y el aceite. Por último, agregue la sal y amase hasta obtener una masa suave, tersa y elástica.
Cubra la masa con una hoja de plástico adherente previamente engrasada con aceite y deje levar en un lugar caliente alrededor de 30 minutos.
Para preparar la salmuera, mezcle el agua, aceite de oliva y sal gruesa en un tazón. Mezcle para hacer una emulsión y deje reposar.
Pase la masa a un molde para hornear ligeramente engrasado con aceite, estirando suavemente con las yemas de sus dedos. Pique la superficie de la masa con sus dedos, formando pequeños hoyuelos en donde se quedará el condimento. Espolvoree la focaccia con la salmuera y deje levar hasta que duplique su volumen, aproximadamente una hora.
Hornee a 200°C (390°F) alrededor de 25 minutos o hasta que se dore.

FOCACCIA DE CEBOLLA

Tiempo de preparación: 20 minutos   Tiempo de levado: 1 1/2 hora
Tiempo de cocción: 20 minutos   Grado de dificultad: medio

4 PORCIONES

4 tazas (500 g) de **harina de trigo simple**
o **harina preparada para pastel**
2 1/2 cucharaditas (10 g) de **azúcar**
1 1/2 cucharadita (4 g) de **levadura seca**
instantánea
1 taza más 2 cucharadas (270 ml) de
agua *tibia*
2 cucharadas más 2 cucharaditas (40 ml)
de **aceite de oliva extra virgen**
1 1/2 cucharadita (10 g) de **sal**

PARA LA SALMUERA GENOVESA
1 cucharada más 2 cucharaditas (25 ml)
de **agua**
3 cucharadas (45 ml) de **aceite de oliva**
extra virgen
1/2 cucharada (8 g) de **sal gruesa**

PARA LA CUBIERTA
350 g (12 oz) de **cebollas** *o*
aproximadamente 2 medianas,
finamente rebanadas

Coloque la harina sobre una superficie de trabajo limpia, haga una fuente en el centro y agregue el azúcar. Disuelva la levadura en el agua. Vierta la mezcla de levadura en la fuente y empiece gradualmente a incorporarla con la harina. Agregue 2 cucharadas de aceite de oliva y, por último, la sal. Amase hasta obtener una masa suave, tersa y elástica. Tape la masa con una hoja de plástico adherente ligeramente engrasada con aceite y deje levar en un lugar caliente alrededor de 30 minutos.

Para preparar la salmuera mezcle el agua, aceite de oliva y sal gruesa en un tazón. Mezcle para hacer una emulsión y deje reposar.

En un molde para hornear ligeramente engrasado con aceite, estire suavemente la masa con las yemas de sus dedos. Pique la superficie con sus dedos, formando pequeños hoyuelos en donde se quedará el condimento.

Espolvoree la focaccia con la salmuera y deje levar aproximadamente una hora hasta que haya duplicado su volumen.

En una sartén grande, saltee las cebollas en el aceite de oliva restante hasta suavizarla. Extienda las cebollas sobre las focaccias.

Hornee a 200°C (390°F) durante 20 minutos o hasta que se dore.

FOCACCIA CON ACEITUNAS
Y QUESO ROBIOLA

Tiempo de preparación: 25 minutos   Tiempo de levado: 1 1/2 hora
Tiempo de cocción: 25 minutos   Grado de dificultad: medio

4 PORCIONES

4 tazas (500 g) de **harina de trigo simple**
1 1/2 cucharadita (4 g) de **levadura seca instantánea**
1 taza más 2 cucharadas (270 ml) de **agua** *tibia*
1 cucharada (10 g) de **malta** *o 1/2 cucharada (10 g) de* **miel de abeja**
2 cucharadas más 2 cucharaditas (40 ml) de **aceite de oliva extra virgen**
1 1/2 cucharadita (10 g) de **sal**

PARA LA SALMUERA GENOVESA
1/2 taza (100 ml) de **agua**
3 cucharadas +1 cucharadita (50 ml) de **aceite de oliva extra virgen**
2 1/4 cucharaditas (14 g) de **sal gruesa**

PARA EL RELLENO Y DECORACIÓN
1/2 taza (100 g) de **aceitunas sin hueso**
1 1/4 taza (300 g) de **queso Robiola** *fresco*

Coloque la harina sobre una superficie de trabajo limpia; haga una fuente en el centro. Disuelva la levadura en agua.

Viértala con la malta en la fuente. Incorpore gradualmente con la harina. Agregue una taza de aceite y la sal. Amase hasta obtener una masa tersa. Tape con plástico adherente engrasado con aceite; deje levar durante 30 minutos.

Para preparar la salmuera, mezcle el agua, aceite de oliva y sal gruesa en un tazón. Mezcle para hacer una emulsión y deje reposar.

En un molde para hornear previamente engrasado, estire suavemente la masa con las yemas de sus dedos. Pique la superficie con las yemas de sus dedos formando hoyuelos en donde se quedará el condimento.

Rocíe la focaccia con la salmuera y deje levar alrededor de una hora, hasta que duplique su volumen.

Pique finamente algunas aceitunas y agregue a la masa. Disperse las aceitunas restantes sobre la focaccia. Hornee a 200°C (390°F) durante 25 minutos o hasta que se dore.

Cuando la focaccia se enfríe, divida en rebanadas del mismo tamaño. Suavice el queso Robiola mezclándolo con una cucharadita de aceite. Extienda sobre la mitad de la focaccia. Cubra con la otra mitad; corte en rebanadas.

FOCACCIA DE ESPELTA

Tiempo de preparación: 15 minutos   Tiempo de levado: 1 1/2 hora
Tiempo de cocción: 25 minutos   Grado de dificultad: medio

4 PORCIONES

*5 tazas (500 g) de **harina de espelta***
*1 cucharada (10 g) de **malta** o 1/2*
*cucharada (10 g) de **miel de abeja***
1 cucharada más 3/4 cucharadita (11 g)
*de **levadura seca** instantánea*
*1 taza (250 ml) de **agua** tibia*
2 cucharadas más 2 cucharaditas (40 ml)
*de **aceite de oliva extra virgen***

*1 1/2 cucharadita (10 g) de **sal***

PARA LA SALMUERA GENOVESA
*1/2 taza (100 ml) de **agua***
3 cucharadas más 1 cucharadita (50 ml)
*de **aceite de oliva extra virgen***
*3/4 cucharada (14 g) de **sal gruesa***

Coloque la harina sobre una superficie de trabajo limpia, haga una fuente en el centro y agregue la malta. Disuelva la levadura en el agua. Vierta la mezcla de levadura en la fuente, y empiece gradualmente a incorporarla con la harina. Agregue el aceite y, por último, agregue la sal. Amase hasta obtener una masa suave, tersa y elástica.
Tape la masa con una hoja de plástico adherente ligeramente engrasada con aceite y deje levar en un lugar caliente alrededor de 30 minutos.
Para preparar la salmuera mezcle el agua, aceite de oliva y sal gruesa en un tazón. Mezcle para hacer una emulsión y deje reposar.
En un molde para hornear ligeramente engrasado con aceite, estire suavemente la masa con las yemas de sus dedos. Pique la superficie con sus dedos formando pequeños hoyuelos en donde se quedará el condimento.
Barnice la focaccia con la salmuera y deje levar alrededor de una hora, hasta que duplique su volumen.
Hornee a 200°C (390°F) alrededor de 25 minutos o hasta que se dore.

FOCACCIA DE NOVI LIGURE

Tiempo de preparación: 15 minutos   Tiempo de levado: 1 1/2 hora
Tiempo de cocción: 20 minutos   Grado de dificultad: medio

4 PORCIONES

*4 tazas (500 g) de **harina de trigo simple**
o **harina preparada para pastel***
*1/2 cucharada (5 g) de **malta***
*1 3/4 cucharadita (5 g) de **levadura seca
instantánea***
*1 taza más 1 1/2 cucharada (275 ml)
de **agua** tibia*
*1 1/2 cucharada (20 g) de **manteca de
cerdo**, suavizada*

*1 cucharada más 2 cucharaditas (25 ml)
de **aceite de oliva extra virgen***
*1 2/3 cucharadita (10 g) de **sal***

PARA LA SALMUERA GENOVESA
*1/2 taza (100 ml) de **agua***
*3 1/2 cucharadas (50 ml) de **aceite de
oliva extra virgen***
*3/4 cucharada (14 g) de **sal***

Coloque la harina sobre una superficie de trabajo limpia, haga una fuente en el centro y agregue la malta. Disuelva la levadura en el agua. Vierta la mezcla en la fuente e incorpore gradualmente con la harina. Agregue la manteca de cerdo suavizada, el aceite y, por último, la sal.

Amase hasta obtener una masa suave, tersa y elástica. Tape la masa con una hoja de plástico adherente ligeramente engrasada con aceite y deje levar alrededor de una hora.

Para preparar la salmuera, mezcle el agua, aceite de oliva y sal gruesa en un tazón.
Mezcle hasta hacer una emulsión y deje reposar.

Pase la masa a un molde para hornear previamente engrasado con aceite, estirando suavemente con las yemas de sus dedos hasta que quede de aproximadamente 1 cm (1/2 in) de grueso. Pique la superficie de la masa con las yemas de sus dedos formando pequeños hoyuelos en donde se quedará el condimento.

Barnice la focaccia con la salmuera genovesa y deje levar durante media hora.
Hornee a aproximadamente 230°C (450°F) durante 20 minutos o hasta que se dore.
Barnice la superficie de la focaccia recién horneada con aceite de oliva.

FOCACCIA DE APULIA

Tiempo de preparación: 15 minutos   Tiempo de levado: 1 1/2 hora
Tiempo de cocción: 20 minutos   Grado de dificultad: medio

4 PORCIONES

80 g (3 oz) de **papas** *o
aproximadamente 1 1/2 pequeña*
4 tazas (500 g) de **harina de trigo simple**
1 taza (170 g) de **harina de sémola**
2 1/4 cucharadas (6 g) de **levadura seca
instantánea**
1 2/3 taza (400 ml) de **agua** *tibia*
2 1/2 cucharaditas (15 g) de **sal**
1/4 taza más 1 cucharadita (65 ml) de
aceite de oliva extra virgen

PARA LA CUBIERTA
200 g (7 oz) de **jitomates cereza**,
partidos a la mitad
Sal gruesa
Aceite de oliva
Orégano *seco*

Coloque las papas en una olla y cubra con agua fría. Lleve a ebullición y cocine alrededor de 15 minutos, hasta que estén suaves. Escurra las papas, deje enfriar ligeramente y machúquelas.

Mezcle ambos tipos de harina sobre una superficie de trabajo limpia y haga una fuente en el centro. Disuelva la levadura en 1 taza (240 ml) de agua tibia. Vierta la mezcla de levadura en la fuente y empiece gradualmente a incorporarla con la harina. Agregue poco a poco la sal, aceite, papas machacadas y el agua restante. Amase hasta obtener una masa suave, tersa y elástica.

Divida la masa en 4 bolas. Coloque cada bola de masa en un molde para hornear redondo de 20 cm (8 in) bien engrasado con aceite y deje levar en un lugar caliente alrededor de 3 horas.

Una vez levada, voltee los trozos de masa y extienda cada una con las yemas de sus dedos para cubrir la base del molde. Cubra cada trozo de masa con los jitomates, una pizca de sal, un poco de aceite de oliva y el orégano.

Deje levar una vez más alrededor de 30 minutos, hasta que duplique su volumen. Hornee a 220°C (430°F) durante 25 minutos o hasta que se dore.

FOCACCIA DE MAÍZ

Tiempo de preparación: 15 minutos   Tiempo de levado: 2 horas
Tiempo de cocción: 20 minutos   Grado de dificultad: medio

4 PORCIONES

*4 tazas (500 g) de **harina de trigo simple** o **harina preparada para pastel***
*2 tazas (200 g) de **cornmeal** o **polenta***
*1 1/2 cucharada (10 g) de **azúcar***
*2 cucharaditas (12 g) de **sal***
*2 2/3 tazas (380 ml) de **agua** tibia*
*1 cucharada más 3/4 cucharadita (10 g) de **levadura seca instantánea***
*2 cucharaditas (10 ml) de **aceite de oliva extra virgen***

Mezcle la harina y el cornmeal sobre una superficie de trabajo limpia, haga una fuente en el centro y agregue el azúcar. Disuelva la sal en 2 cucharadas de agua.
Disuelva la levadura en el agua restante. Vierta la mezcla de levadura en la fuente, y empiece gradualmente a incorporarla con la harina. Agregue el aceite y, por último, agregue la mezcla de sal. Continúe amasando hasta que la masa esté suave, tersa y elástica.
Cubra la masa con una hoja de plástico adherente previamente engrasada con aceite y deje levar en un lugar caliente hasta que haya duplicado su volumen (alrededor de una hora).
Divida la masa en 4 trozos y, usando sus manos, ruede cada trozo para hacer una cuerda y aplánelas con las yemas de sus dedos.
Pase a una charola para hornear ligeramente engrasada con aceite y espolvoree la superficie con una pizca de cornmeal. Deje levar la masa durante 30 minutos en un lugar caliente.
Hornee las pequeñas focaccias en el horno a 230°C (450°F) alrededor de 20 minutos o hasta que se doren.

FOCACCIA DE TRIGO
SARRACENO

Tiempo de preparación: 15 minutos   Tiempo de levado: 2 horas
Tiempo de cocción: 20 minutos   Grado de dificultad: medio

4 PORCIONES

3 5/8 tazas (400 g) de **harina de trigo simple** *o* **harina preparada para pastel**
2 tazas (250 g) de **harina de trigo sarraceno**
1 2/3 cucharadita (10 g) de **sal**
1 1/2 taza (350 ml) de **agua** *tibia*
1 cucharada más 3/4 cucharadita (25 g) de **levadura seca instantánea**
2 cucharaditas (10 ml) de **aceite de oliva extra virgen**

Mezcle ambos tipos de harina sobre una superficie de trabajo limpia y haga
una fuente en el centro.
Disuelva la sal en 2 cucharadas de agua. Disuelva la levadura en el agua restante. Vierta
la mezcla de levadura en la fuente y empiece gradualmente a incorporarla con la harina.
Agregue la mezcla de sal y el aceite, poco a poco. Amase hasta obtener
una masa suave, tersa y elástica.
Cubra la masa con una hoja de plástico adherente previamente engrasada con aceite y
deje levar en un lugar caliente hasta que haya duplicado su volumen
(alrededor de una hora).
Divida la masa en 4 trozos y forme una bola con cada una.
Coloque las bolas de masa sobre una charola para hornear ligeramente engrasada con
aceite y aplánelas con las yemas de sus dedos.
Deje levar en un lugar caliente alrededor de una hora.
Hornee a 230°C (450°F) alrededor de 20 minutos o hasta que se dore.

FOCACCIA DE GARBANZO

Tiempo de preparación: 30 minutos   Tiempo de levado: 2 horas
Tiempo de cocción: 20 minutos   Grado de dificultad: medio

4 PORCIONES

PARA LA MASA
3 tazas (375 g) de **harina de trigo simple**
o **harina preparada para pastel**
1 1/3 taza (125 g) de **harina de garbanzo**
1 1/2 cucharadita (10 g) de **sal**
1 2/3 taza (280 ml) de **agua** tibia
1 cucharada (8 g) de **levadura seca
instantánea**

1 cucharada (10 g) de **malta**
2 1/4 cucharaditas (10 ml) de **aceite de
oliva extra virgen**

PARA LA CUBIERTA
3 1/2 cucharadas (50 ml) de **aceite de
oliva extra virgen**
Pimienta al gusto

Mezcle ambos tipos de harina sobre una superficie de trabajo limpia y haga una fuente en el centro. Disuelva la sal en 3 cucharadas de agua. Disuelva la levadura en el agua restante. Vierta la mezcla de levadura en la fuente y empiece gradualmente a incorporarla con la harina. Agregue la malta y el aceite y, por último, la mezcla de sal.
Amase hasta obtener una masa suave, tersa y elástica.
Cubra la masa con una hoja de plástico adherente previamente engrasada con aceite y deje levar en un lugar caliente hasta que haya duplicado su volumen
(alrededor de una hora).
Divida la masa en 4 bolas. Colóquelas en un molde para hornear ligeramente engrasado con aceite y deje levar en un lugar caliente alrededor de 30 minutos.
Aplane la masa en discos. Pique la superficie de la masa con sus dedos formando pequeños hoyuelos en donde se quedará el condimento. Barnice la superficie con aceite y espolvoree con pimienta recién molida. Deje la focaccia levar durante 30 minutos más.
Hornee a 220°C (420°F) alrededor de 20 minutos o hasta que se dore.

PANZEROTTO DE APULIA

Tiempo de preparación: 30 minutos   Tiempo de levado: 1 1/2 hora
Tiempo de cocción: 5 minutos   Grado de dificultad: medio

4 PORCIONES

PARA LA MASA
2 tazas (250 g) de **harina de trigo simple**
o **harina tipo italiana "00"**
1 cucharada más 3/4 cucharadita (10 g)
de **levadura seca instantánea**
1 1/8 taza (280 ml) de **agua** tibia
1 1/2 cucharadita (10 g) de **sal**
Aceite vegetal para freír

PARA EL RELLENO
1/4 taza (55 ml) de **aceite de oliva extra
virgen**
1 diente de **ajo**, finamente picado
150 g (4 1/4 oz) de **jitomates**, sin piel y
picados
Sal y pimienta al gusto
4 **hojas de albahaca** fresca
300 g (10 1/2 oz) de **queso mozzarella**,
partido en cubos
50 g (1 3/4 oz) de **queso Parmigiano-
Reggiano**, rallado

Coloque la harina sobre una superficie de trabajo limpia, haga una fuente en el centro.
Disuelva la levadura en el agua. Viértala en la fuente e incorpore gradualmente con la harina.
Agregue la sal. Amase hasta obtener una masa tersa y elástica. Cubra la masa con una hoja
de plástico adherente ligeramente engrasada con aceite y deje levar hasta que haya
duplicado su tamaño (alrededor de una hora).
Mientras tanto, caliente el aceite de oliva en una sartén y saltee el ajo. Agregue los jitomates
picados, sal y pimienta. Cocine alrededor de 20 minutos o hasta que la salsa espese.
Divida la masa en bolas de aproximadamente 100 g (3 1/2 oz) cada una y deje levar una vez
más, hasta que hayan duplicado su tamaño (alrededor de 30 minutos). Extienda la masa con
ayuda de un rodillo para hacer discos. Unte la salsa de jitomate sobre la mitad de cada
disco. Acomode una hoja de albahaca sobre cada disco y espolvoree con queso mozzarella
y Parmigiano-Reggiano. Doble los discos a la mitad y selle las orillas.
Caliente 1 cm (1/2 in) de aceite en una sartén grande hasta que esté caliente y brillante. Fría
los panzerotti alrededor de 5 minutos, hasta que se doren por ambos lados. Usando una
cuchara ranurada pase los panzerotti a toallas de papel y deje escurrir. Agregue sal al gusto.

PIADINA
CON ACEITE DE OLIVA EXTRA VIRGEN

Tiempo de preparación: 10 minutos   Tiempo de levado: 1 hora
Tiempo de cocción: 5 minutos   Grado de dificultad: fácil

4 PORCIONES

*4 tazas (500 g) de **harina de trigo simple** o **harina preparada para pastel***
*1/2 taza (125 ml) de **agua** tibia*
*1 cucharada (15 g) de **polvo para hornear***
*3 cucharadas más 1 cucharadita (50 ml) de **aceite de oliva extra virgen***
*1 1/2 cucharadita (10 g) de **sal***

Coloque la harina sobre una superficie de trabajo limpia y haga una fuente en el centro. Agregue el agua, polvo para hornear, aceite y sal y empiece gradualmente a incorporarlos con la harina. Amase hasta obtener una masa tersa y elástica.
Cubra la masa con una toalla de cocina y deje levar por lo menos durante una hora.
Divida la masa en trozos de aproximadamente 150 g (5 oz) cada uno. Deles forma de bolas y posteriormente extienda con ayuda de un rodillo para darles forma de discos de 3 mm (1/8 in) de grueso y de 25 a 30 cm (10-12 in) de diámetro.
Cocine los discos por ambos lados sobre una parrilla caliente o en una sartén antiadherente sobre fuego alto hasta que se dore. A medida que se cocina la piadina, se formarán algunas burbujas sobre su superficie; píquelas con ayuda de un tenedor.

PIADINA CLASICA

Tiempo de preparación: 10 minutos   Tiempo de levado: 1 hora
Tiempo de cocción: 5 minutos   Grado de dificultad: fácil

4 PORCIONES

*4 tazas (500 g) de **harina de trigo simple** o **harina preparada para pastel***
*3 cucharaditas (15 g) de **polvo para hornear***
*75 g (2 2/3 oz) de **manteca de cerdo**, suavizada y partida en cubos*
*1 2/3 cucharadita (10 g) de **sal***
*1 **huevo** grande, ligeramente batido*
*7/8 taza (200 ml) de **leche***

Cierna la harina con el polvo para hornear y coloque la mezcla sobre una superficie de trabajo limpia y haga una fuente en el centro. Disperse cubos pequeños de manteca de cerdo y la sal sobre la mezcla de harinas. Agregue el huevo y la leche a la fuente y empiece gradualmente a incorporarlos con la mezcla de harina poco a poco. Amase hasta obtener una masa tersa y elástica.
Cubra la masa con una toalla de cocina y deje levar por lo menos durante una hora.
Divida la masa en barras pequeñas de aproximadamente 150 g (5 oz) cada una.
Extiéndalas para hacer discos del grosor deseado, por lo general de aproximadamente 3 mm (1/8 in) y de 25 a 30 cm (10-12 in) de diámetro.
Cocine los discos por ambos lados sobre una parrilla caliente o en una sartén antiadherente sobre fuego alto, hasta que se doren. A medida que la piadina se cocine, aparecerán algunas burbujas sobre la superficie; píquelas con ayuda de un tenedor.
Nota: Aunque la receta tradicional para la piadina pide manteca de cerdo, si la sustituye por aceite de oliva extra virgen obtendrá una piadina más crujiente.

ÍNDICE DE INGREDIENTES

CRÉDITOS FOTOGRÁFICOS

Todas las fotografías fueron tomadas por ACADEMIA BARILLA excepto las siguientes: páginas 6, 95 ©123RF

© 2013 De Agostini Libri S.p.A.
Via G. da Verrazano, 15 - 28100 Novara, Italy

Importado y publicado en México en 2014 por / Imported and published
in Mexico in 2014 by: Advanced Marketing, S. de R.L. de C.V.
Calz. San Fco. Cuautlalpan no. 102 Bodega "D", Col. San Fco. Cuautlalpan,
Naucalpan, Edo. de México, C.P. 53569

Fabricado e impreso en China en noviembre 2013 por / Manufactured and printed
in China on November 2013 by: Leo Paper Products
Level 36, Tower 1, Enterprise Square Five (Megabox), 38 Wang Chiu Road,
Koowloon bay, Kowloon, Hong Kong

Título Original / Original Title: Pizza and Focaccia / Pizza y Focaccia

Traducción:
Concepción Orvañanos de Jourdain – Laura Cordera de Lascurain

ISBN 978-607-618-134-8

14 13 12 11 10 9 8 7 6 5 4 3 2 1